Herausgegeben
vom Internationalen
Ökumenischen Arbeitskreis für
Taubstummenseelsorge

St. Benno-Verlag

Von der Schönheit der Schöpfung

Vorwort

Dankbar übergibt der St. Benno-Verlag den Bildband »Von der Schönheit der Schöpfung« den gehörlosen Menschen und allen, denen inneres Hören wichtiger ist als rein äußeres Wahrnehmen.

»Gott sah alles an, was er gemacht hatte. Alles war sehr gut.« Etwas von dieser Freude an Gottes Schöpfung will dieser Bildband festhalten und erzählen. Er leugnet nicht die Sünde und verschweigt nicht, daß der Weg zur Erlösung durch das Dunkel des Karfreitags führt. Aber er kennt auch das Zeichen des Regenbogens und weiß um das Paradies am Anfang und um die neue Schöpfung am Ende und um die unzerstörbare Hoffnung, die uns auf dem Weg vom Anfang zum Ende begleitet.

Dankbar ist der St. Benno-Verlag den Gehörlosen, weil sie ihn immer wieder daran erinnern, daß der Vater im Himmel uns tausend schöne Bilder geschaffen hat; Bilder der Vorfreude, Bilder seiner Liebe. Jesus Christus selbst war von der Liebe des Vaters einmal so überwältigt, daß er ausrief: »Ich preise dich, Vater, Herr des Himmels und der Erde, weil du all das den Weisen und Klugen verborgen, den Einfachen aber geoffenbart hast.«

Für das Lesen des Buches weisen wir darauf hin, daß die Anregungen zum Weiterdenken von erfahrenen Seelsorgern und Freunden der Gehörlosen stammen. Die Worte aus der Heiligen Schrift sind aus den biblischen Büchern genommen, die für Gehörlose in einfacher Sprache geschrieben sind. Sie sind am Ende dieses Buches genannt. So ergibt sich eine Einheit zwischen dem Betrachten des Bildes, dem Wort und den Anregungen zum persönlichen Aneignen des Textes.

Der Verlag hofft und wünscht, daß dieser Bildband all den Menschen Freude macht, die sich auch heute noch über alles Schöne in Gottes Schöpfung freuen und daraus ablesen können, wie gut der Herr ist.

Ein Mann geht in der Nacht zu seinem Freund. Er klopft an die Tür und ruft: »Mach auf! Leih mir Brot! Ich habe überraschend Besuch bekommen; er ist hungrig. Ich will ihm zu essen geben.« Der Freund sagt: »Schrei nicht so laut. Es ist Nacht. Die Kinder schlafen. Ich kann nicht aufstehen und dir Brot geben.«

Aber der Mann hört nicht auf, seinen Freund zu bitten: Gib mir Brot! Der Freund gibt ihm das Brot, weil der andere nicht aufhört zu bitten. Dann sagte Jesus: »Merkt euch: Wer Gott bittet, der bekommt von Gott. Wer Gott sucht, der findet Gott.« (siehe: Evangelium. Texte nach Lukas, S. 44, Lk 11,5–13)

Der Freund hilft dem Mann, weil er ein Freund ist. Manchmal können Menschen uns nicht helfen.

Wir wissen:
Gott kann immer helfen.
Gott hört unsere Bitten immer.
Gott sieht unsere Not immer – auch in der Nacht.

Wir können immer zu Gott beten. Er ist unser bester Freund.

Jesus ging mit Petrus, Johannes und Jakobus auf einen Berg, um zu beten. Plötzlich wurde sein Gesicht hell und sein Kleid weiß und glänzend. Er wurde verklärt. Die Propheten Mose und Elija kamen. Sie sprachen mit Jesus über seinen Tod und seine Auferstehung. Petrus, Johannes und Jakobus sahen den verklärten Jesus und die Propheten. Sie dachten, daß sie träumten.
(siehe: Evangelium. Texte nach Lukas, S. 37, Lk 9,28–36)

Der Herbst ist schön. Aber bald kommt der Winter.

Jesus wurde verklärt. Später sollte er am Kreuz sterben. Die Apostel sahen auf dem Berg den verklärten Jesus.
Sie sollten denken: Jesus stirbt, aber er wird von den Toten auferstehen!

Wir erleben oft frohe Stunden. Sie sollen uns in traurigen Stunden helfen, indem wir uns an das Gute und Schöne erinnern.

Das Gute kommt von Gott.
Das Traurige soll uns zu Gott führen!

Der Teufel kam zu Jesus und sagte:
»Wenn du Gottes Sohn bist, dann
spring hier herunter!«
(siehe: Evangelium. Texte nach
Lukas, S. 18, Mt 4,1–11)

Wir haben es durch die Technik im Leben leicht:
Wir kommen schneller voran;
wir kommen bequem auf den Berg.
Oft macht die Technik den Menschen stolz.

Aber – Technik ist auch gefährlich (Autounfälle,
Flugzeugabsturz usw.).

Wichtig ist: Immer und überall Gott treu und
gehorsam bleiben. Denn Gott ist immer bei uns.

David war gut. Er hat das Volk gut
regiert.
David sündigte. Aber er hat seine
Sünden bereut und Buße getan. Gott
hat ihm die Sünden vergeben.
(siehe: Väter, Könige und Propheten,
S. 26, 2 Samuel)

Die Rose ist eine sehr schöne Blume. Sie sieht
schön aus und duftet gut. Aber: die Rosen haben
auch Dornen.
Trotzdem: die Menschen freuen sich über die
Rosen; sie schenken gern Rosen.

Die Menschen sind gut und schön. Aber:
die Menschen *sündigen.*
Trotzdem: Gott liebt die Menschen.
Wenn die Menschen die Sünden bereuen und
Gott um Vergebung bitten, dann vergibt Gott die
Sünden.

Gott, ich danke dir, weil du mich liebst.
Ich bin froh!

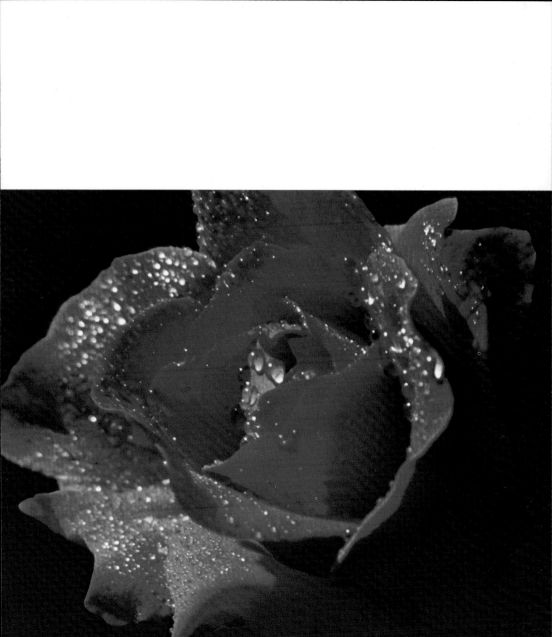

Jesus hat gesagt: »In der Bibel steht
geschrieben: Der Erlöser muß zuerst
leiden und sterben und dann
auferstehen!«
(siehe: Evangelium. Texte nach
Lukas, S. 80, Lk 24,13–35)

Zuerst muß man den Berg hinaufklettern, dann
ist man oben auf dem Gipfel.

Im Leben ist es ebenso:
Zuerst die Arbeit – dann die Erholung.
Zuerst (in der Welt) Not, Krankheit und Tod.
Später (im Himmel bei Gott) ewiges Leben,
ewiges Glück, ewige Freude.

Jesus betete: »Lieber Vater im Himmel. Du hast mich zu allen Menschen geschickt, nicht nur zu den Klugen und Reichen, sondern besonders zu den Armen und Bescheidenen.
Viele Menschen sind eingebildet und stolz, weil sie klug sind und viel wissen. Sie glauben nicht an mich. Aber die demütigen und bescheidenen Menschen glauben. Darüber freue ich mich. Ich danke dir.«
(siehe: Evangelium. Texte nach Lukas, S. 40, Lk 10,21–24)

Kleine Kinder sind schwach. Sie brauchen Hilfe. Sie wissen wenig; sie müssen immer fragen. Darum sind sie nicht stolz und nicht eingebildet.
Kleine Kinder sind demütig und bescheiden.

Wir sollen ebenso demütig sein, damit wir fest und froh an Jesus Christus glauben.

Maria sprach: »Ich lobe und ehre
Gott, weil er mir sehr viel Gnade
geschenkt hat! Gott hat mich
gesegnet!«
(siehe: Evangelium. Texte nach
Lukas, S. 10, Lk 1,39–56)

Du bist getauft. Du bist ein Christ. Hast Du Gott
dafür gedankt?

Gott hat Dir in Deinem Leben viel Gnade
geschenkt (Gottesdienst – Vergebung der Sünden
– Kraft zum Guten).
Er liebt Dich.
Gott hat Dich gesegnet. Er segnet Dich.

Wer daran denkt, der dankt und lobt Gott ebenso
wie Maria Gott gedankt und gelobt hat.

Der König Salomo baute in der Stadt Jerusalem den Tempel. Der Tempel war prächtig, kunstvoll und reich geschmückt.
(siehe: Väter, Könige und Propheten, S. 26, 1 Könige 12)

Die Kirche (Dom, Kapelle) nennt man das Haus Gottes.
Aber: Die Natur ist auch das Haus Gottes. Gott selbst hat die Natur gemacht. Die Kirchen und Dome aus Stein sind oft ebenso prächtig, kunstvoll und reich geschmückt wie früher der Tempel in Jerusalem.
Die Natur ist noch mehr prächtig, kunstvoll und reich geschmückt.

Allmächtiger Gott.
Die Natur ist prächtig.
Du hast sie kunstvoll gemacht.
Du schmückst sie reich.
Die Welt ist schön.
Ich danke dir!

Mose sah einen brennenden
Dornbusch. Gott sprach aus dem
brennenden Dornbusch: Fürchte dich
nicht! Ich helfe dir!
(siehe: Väter, Könige und Propheten,
S. 15, Exodus 1–11)

Das Feuer in der Nacht macht froh und warm.
Das Licht in der Nacht vertreibt die Angst.

Die Menschen haben oft Angst: Lebensangst und
Todesangst. Gott spricht auch zu Dir: Fürchte
Dich nicht. Ich helfe Dir.

Gott hilft nicht immer sofort.
Gott hilft oft anders (als Du denkst).

Aber:
Gott hilft immer!

Einmal betete Jesus eine ganze Nacht
auf einem Berg.
(siehe: Evangelium. Texte nach
Lukas, S. 25, Lk 6,12–16)

Jesus hat gern auf dem Berg gebetet.
Dort spürte er die Nähe von Gott Vater.
Jesus hat oft gebetet.

Wenn wir in der Kirche sind, dann fühlen wir
uns Gott besonders nahe. Wir gehen gern zu ihm;
wir sind froh, weil er uns nahe ist: überall –
besonders im Haus Gottes = in der Kirche.

Wenn Gott für die Tiere und Blumen
sorgt, dann sorgt er bestimmt auch für
die Menschen.
(siehe: Evangelium. Texte nach
Lukas. S. 47, Lk 12,22–32)

Die Menschen arbeiten und machen sich viele
Sorgen.
Die großen Sorgen machen oft die Menschen
sehr krank.
Die Menschen sollen wissen: Gott ist unser
Vater.
Wenn wir Gott und die Menschen lieben, dann
schenkt Gott uns das ewige Leben. Das ewige
Leben ist mehr und wichtiger als das Leben auf
der Erde.

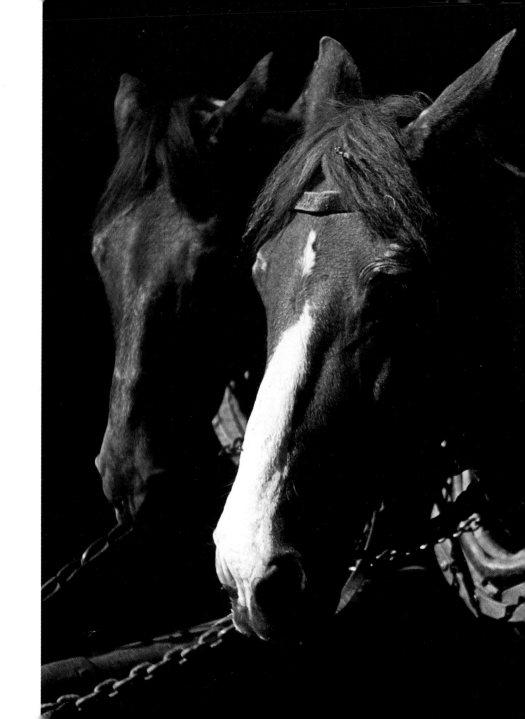

Jesus sagt: »Ihr Christen lebt nicht im Dunkeln, sondern ihr steht immer im Licht. Die Menschen sehen euch und schauen auf euer Leben.«
(siehe: Evangelium. Texte nach Lukas, S. 31, Lk 8,16–18)

Licht ist hell und schön. Im Licht sieht man gut und klar.

Wir stehen im Licht. Das bedeutet:
Die Menschen sehen uns und unser Leben.
Sie schauen genau.
Das Leben der Christen soll an Jesus Christus erinnern. Die Leute sollen denken: Das Leben der Christen macht froh. Warum? Jesus ist ebenso wie das Licht. Er macht das Leben hell (= froh) und klar (= schön).

Paulus schreibt: Wir staunen über
Gottes Schöpfung und Liebe. Wir
beten Gott an.

Die Natur ist wunderbar. Die Natur ist nie
langweilig: Frühling, Sommer, Herbst, Winter,
Sonnenschein — Regen.
Die Winterlandschaft möchte uns an Gottes
Macht und Herrlichkeit erinnern. Er ist unser
Gott. Er ist unser Vater.

Allmächtiger Gott —
ich staune,
ich danke.

Gott weiß, daß ihr Essen und Kleidung
braucht!
(siehe: Evangelium. Texte nach
Lukas, S. 47, Lk 12,22–32)

Der winterliche Reif auf den Zweigen ist ebenso
wie ein schönes Kleid auf dem Zweig. Die
Bäume und Äste sind im Winter fein angezogen.
Man sagt: sie tragen ein winterliches Kleid.

Wer macht es? Die Natur.
Wer hat die Natur gemacht? Der gute und
allmächtige und allwissende Gott.

Gott schmückt *uns* mit Gnade und ewigem
Leben.

Jesus hat den Leuten das Gleichnis vom Sämann erzählt: »Ein Bauer ging auf das Feld, um zu säen. ... Einige Körner fielen zwischen Unkraut. Das Unkraut wuchs schneller und erstickte das Getreide. Das bedeutet: Einige Menschen hören das Evangelium. Aber später glauben sie nicht mehr, weil sie immer nur an ihre Sorgen und an das Geld denken.« (siehe: Evangelium. Texte nach Lukas, S. 30, Lk 8,4–15)

Wir haben oft gute Gedanken. Wir wollen oft Gutes tun. Aber manchmal tun wir das Gute nicht. Warum?
Trägheit, Müdigkeit, Gedankenlosigkeit sind ebenso wie Unkraut. Sie ersticken die guten Gedanken. Das ist nicht gut!

Manchmal sind böse Menschen um uns. Wir müssen trotzdem gut bleiben. – Eine Blüte im Unkraut!

Jesus stand auf und befahl dem
Sturm: Du sollst still sein. Wind und
Wellen gehorchten sofort. Der See
war glatt und ruhig.
(siehe: Evangelium. Texte nach
Lukas, S. 32, Lk 8,22–25)

Die menschliche Seele ist ebenso wie ein See.

Unruhe und Angst,   sind ebenso
Sorgen und Streit,   wie ein Sturm.
Haß und Sünde

Die Seele des Menschen ist aufgewühlt ebenso
wie der See.

Friede – Vertrauen   beruhigen die Seele.
Vergebung – Liebe
Hoffnung – Gnade

Zum Beispiel:
Die Menschen bringen Streit;
Gott gibt Frieden.

Jesus sagt: »Ich schenke euch meinen Frieden.«

Johannes der Täufer hat gepredigt
und getauft. Die Leute dachten:
Vielleicht ist Johannes der Erlöser.
Johannes sagte: »Ich bin nicht der
Erlöser. Er kommt bald.«
(siehe: Evangelium. Texte nach
Lukas, S. 17, Lk 3,1–20)

Der Frühling ist der Vorbote des Sommers.
Der Frühling ist noch nicht der Sommer.
Wir wissen aber: Nach dem Frühling kommt der
Sommer.
Der Frühling ist schön; der Sommer ist schöner.

Unser Leben auf der Erde ist schön.
Aber unser Leben ist ebenso wie der Frühling.

Nach dem Leben auf der Erde kommt das Leben
bei Gott im Himmel. Das Leben auf der Erde ist
bald vorbei.
Das Leben bei Gott bleibt immer. Es ist ewig.

Sehr viele Menschen möchten das
Evangelium hören; sie warten auf den
Erlöser!
(siehe: Evangelium. Texte nach Lukas,
S. 39, Lk 10,1)

Die Afrikanerin ist glücklich. Sie kommt aus der
Kirche und geht nach Hause. Der Pfarrer hat ihr
Kind getauft. Der Pfarrer hat zuerst die Mutter
belehrt und sie getauft. Beide: Mutter und Kind
sind Kinder Gottes.

Auch Du bist ein Kind Gottes. Wir Christen sind
alle Kinder Gottes und gehören zur Familie
Gottes.
Darum dürfen wir beten: »Vater *unser!*«

Gott sprach: Es soll hell werden. Es wurde hell.
Gott trennte das Licht und die Dunkelheit.

Er nannte das Licht Tag;
er nannte die Dunkelheit Nacht.
(siehe: Väter, Könige und Propheten, S. 5, Genesis 1)

Die Sonne strahlt über der Erde.
Wie lange strahlt schon die Sonne?
Viele Millionen Jahre.

Jesus hat gesagt: »Ich bin das Licht der Welt.«

Das Gute ist hell.   Das Böse ist dunkel.
Die Liebe ist Licht.   Der Haß ist Nacht.
Die Gnade ist Licht.   Die Sünde ist Dunkelheit.

Das Licht ist stärker als die Nacht.
Die Gnade Gottes ist stärker als die Macht des Bösen.

Die Leute brachten ihre Kinder zu Jesus, damit er sie segnet. Die Apostel sahen es und wollten die Kinder fortschicken. Aber Jesus sagte: »Die Kinder dürfen zu mir kommen! Ich liebe die Kinder, weil sie vertrauen. Wenn ihr auf Gott vertraut, dann könnt auch ihr in den Himmel kommen!«
(siehe: Evangelium. Texte nach Lukas, S. 59, Lk 18,15–17)

Kinder spielen. Das bedeutet: Kinder haben keine Sorgen. Jesus liebt die Kinder, weil sie vertrauen. Er sagt: »Wenn ihr auf Gott vertraut, dann könnt auch ihr in den Himmel kommen.«

Wir dürfen auf Gott vertrauen. Er ist unser Vater. Er liebt uns.

Dann führte Gott die Israeliten durch die Wüste. In der Wüste war es sehr heiß, und es gab nur Sand und Steine, aber kein Wasser, keine Pflanzen und keine Bäume. Gott gab den Israeliten Wasser. Gott befahl dem Mose: »Schlag mit dem Stab auf den Felsen!« Mose gehorchte. Sofort kam Wasser heraus. Gott half den Israeliten immer.
(siehe: Väter, Könige und Propheten, S. 18, Exodus 16–17)

Wasser erfrischt Menschen, Tiere und Pflanzen.
Wasser reinigt.
Der Mensch kann ohne Wasser nicht leben.
Gott gibt das Wasser.

Wir sind mit Wasser getauft.
Das Wasser der Taufe bedeutet:
Gott Heiliger Geist hat uns das göttliche Leben gegeben.
Gott Heiliger Geist hat uns von Schuld und Sünde gereinigt.
Das Wasser will uns an Gott den Heiligen Geist erinnern.
Der Mensch kann ohne Heiligen Geist kein ewiges Leben haben.

Am Sonntag setzten sich Paulus und Silas an das Ufer des Flusses und sprachen mit einigen Leuten über Jesus.

(siehe: Von Jerusalem nach Rom, S. 43, Apg 16,1–40)

Ferien — Freizeit

Auch in den Ferien sollen wir an Gott denken und beten. In den Ferien haben wir Zeit und Ruhe. Wir haben auch Zeit, um zu lesen: zum Beispiel die Bibel. Wir haben Zeit zum Plaudern, zum Beispiel über Jesus.

Jesus hat gesagt: Wenn einige Menschen zusammen an mich denken oder gemeinsam zu mir beten, dann bin ich bei ihnen.

Paulus fuhr im Schiff nach Rom.
Plötzlich kam ein starker Sturm.
Paulus sagte: »Alle Leute werden
gerettet. Darum sollt ihr Mut und
Hoffnung haben!«
(siehe: Von Jerusalem nach Rom,
S. 66, Apg 27)

Man sagt:
Kinder sind die Hoffnung für die Zukunft.
Kinder haben Zukunft.

Wir haben eine große Zukunft vor uns.
Wir sind und bleiben immer Kinder Gottes.
Die Zukunft gehört uns.
Darum gilt auch für uns das Wort von Paulus:
Ihr sollt Mut und Hoffnung haben.

Hoffnung macht froh.

Viele Juden aus der ganzen Welt waren in Jerusalem. Sie feierten am 50. Tage nach Ostern das Pfingstfest. Auch die Apostel waren in Jerusalem. Sie warteten auf den Heiligen Geist. Plötzlich kam ein starker, lauter Sturm. Die Apostel sahen Zungen wie aus Feuer. Sie empfingen den Heiligen Geist.
(siehe: Von Jerusalem nach Rom, S. 9, Apg 2,1–17)

Es gibt Menschen, die für Gott besonders arbeiten wollen: die Geistlichen (= Pfarrer, Priester) und Ordensleute (zum Beispiel Schwestern).

Sie beten mehr als die anderen Christen. Sie wollen Christus besonders lieben. Manche arbeiten in der Welt (zum Beispiel Gemeinde, Krankenhaus), andere leben im Kloster.

Der Heilige Geist will alle Menschen heilig machen.
Der Heilige Geist beruft die Menschen.

Wir danken Gott, weil wir den Heiligen Geist empfangen haben. Wir danken Gott, weil er uns durch den Heiligen Geist die Sünden vergibt.

Jesus ging durch ein Dorf. In dem
Dorf wohnte eine Frau. Sie hieß
Marta. In dem Haus war auch die
Schwester von Marta; sie hieß
Maria.
(siehe: Evangelium. Texte nach
Lukas, S. 43, Lk 10,38–42)

Die Kinder von den gleichen Eltern sind ähnlich.
Aber sie sind auch sehr verschieden. Beide haben
den gleichen Vater und die gleiche Mutter:
trotzdem sind die Kinder anders.

Marta und Maria waren auch Geschwister. Sie
waren verschieden: Jesus lobt beide Geschwister.
Er lobt Marta, weil sie sehr höflich, fleißig und
eifrig ist; er lobt Maria besonders, weil sie ihm
aufmerksam zuhört.

Alle Christen sind Geschwister, weil sie Kinder
Gottes sind. Trotzdem sind alle anders,
zum Beispiel: Frauen und Männer, Weiße und
Schwarze, Gesunde und Kranke.
Es gibt auch Behinderte (z. B.: Blinde, Gehörlose).
Die Gehörlosen können nicht hören. Trotzdem
können auch sie das Wort Gottes im
Gehörlosengottesdienst aufmerksam »hören«. Sie
können zu Hause Gottes Wort in der Bibel lesen
und verstehen.

Jairus kniete vor Jesus und sagte: »Komm schnell in mein Haus. Meine Tochter ist sehr schwer krank. Sie ist erst zwölf Jahre alt.« Da kam ein Bote und sagte: »Deine Tochter ist schon tot. Jesus braucht nicht mehr zu kommen.« Jesus aber sagte zu dem Mann: »Du sollst keine Angst haben; du sollst glauben!«

Jesus ging zusammen mit dem Mann in das Haus. Die Leute weinten laut. Dann nahm Jesus das Mädchen bei der Hand und sagte: »Steh auf!« Das Mädchen stand sofort auf. Es war wieder lebendig.
(siehe: Evangelium, Texte nach Lukas, S. 32, Lk 8,40–56)

Jairus kam zu Jesus, damit er seine kranke Tochter heilt. Jesus heilt sie nicht; die Tochter stirbt.
Trotzdem sagt Jesus zu dem Mann: »Du sollst keine Angst haben; du sollst glauben!«
Jesus kommt und macht das Mädchen wieder lebendig.

Gott ist groß und stark. Er ist allmächtig. Darum haben die Menschen oft Angst vor Gott. Aber: Wer glaubt und vertraut, der hat keine Angst vor Gott. Wer an Jesus Christus glaubt, der weiß: Wenn Gott mein Gebet jetzt nicht erhört, dann bestimmt später und besser als ich denke.

Ich danke Gott für seine Allmacht.

Fischer waren am See Gennesaret und wuschen ihre Netze. Jesus ging zu dem Fischer Petrus und sprach zu ihm: »Fahr auf den See hinaus und fang mit dem Netz Fische!« Petrus antwortete: »Ich habe schon die ganze Nacht gearbeitet und nichts gefangen. Aber, wenn du willst, dann fahre ich noch einmal hinaus.« (siehe: Evangelium, Texte nach Lukas, S. 21, Lk 5,1–11)

Die Menschen wollen selbst bestimmen. Keiner will gehorchen. Jeder will befehlen. Aber: Alle Menschen sollen Gott gehorchen.

Wenn die Menschen Gott gehorchen, dann sind sie glücklich und zufrieden.

Wenn sie Gott nicht gehorchen, dann sind sie unzufrieden und in ihrem Herzen unglücklich.

Wir beten täglich im Vaterunser: Dein Wille geschehe!

Nicht nur beten, sondern auch tun!!

Die Menschen wurden stolz und
hochmütig.
Sie sagten: »Wir wollen die große
Stadt Babel und einen sehr hohen
Turm bauen. Wir können alles und
brauchen Gott nicht mehr.«
(siehe: Väter, Könige und Propheten,
S. 10, Genesis 11)

Die Menschen können viel schaffen: Sie bauen
große Häuser und Brücken. Darum sind manche
stolz und sagen: Wir brauchen Gott nicht. Wir
können alles selbst machen.
Stimmt das?

Ja, die Menschen können *vieles* selbst machen:
z. B. Autos, Maschinen, Häuser, Kleidung,
Schiffe.

Aber die Menschen können nicht das Leben
machen!
Blumen und Tiere –
Naturgesetze, z. B. Sommer, Winter.

Wer gibt *ewiges* Leben?
Nur Gott gibt ewiges Leben, weil er selbst
ewig ist.

Es ist gut, daß Gott unser Vater ist.